Le secret de
Léonard de Vinci

« Je voudrais accomplir des miracles »
Journal de Léonard de Vinci.

Titre original : *Monday with a Mad Genius.*
© Texte, 2007, Mary Pope Osborne.
Publié avec l'autorisation de Random House Children's Books,
un département de Random House, Inc., New York, New York, USA.
Tous droits réservés.
Reproduction même partielle interdite.
© 2009, Bayard Éditions pour la traduction française
et les illustrations.

Coordination éditoriale : Céline Potard.
Réalisation de la maquette : Karine Benoit.
Illustration de couverture et illustrations intérieures : Philippe Masson.
Colorisation de la couverture, illustrations de l'arbre, de la cabane
et de l'échelle : Paul Siraudeau.

Loi n° 49-956 du 16 juillet 1949
sur les publications destinées à la jeunesse.
Dépôt légal : juin 2009 – ISBN : 978 2 7470 2737 3
Imprimé en Allemagne par CPI – Clausen & Bosse

Le secret de Léonard de Vinci

Mary Pope Osborne

Traduit et adapté de l'américain
par Marie-Hélène Delval

Illustré par Philippe Masson

Deuxième édition

bayard jeunesse

L é a

Prénom : Léa

Âge : sept ans

Domicile : près du Bois de Belleville

Caractère : espiègle et curieuse

Signes particuliers : ne manque jamais une occasion d'entraîner son frère Tom dans des aventures mouvementées, sans se soucier du danger.

Tom

Prénom : Tom

Âge : neuf ans

Domicile : près du Bois de Belleville

Caractère : studieux et sérieux

Signes particuliers : aime beaucoup
les livres, qui l'aident à se sortir
de situations périlleuses.

Les trente-deux premiers voyages de Tom et Léa

Tom et Léa ont découvert dans le bois de Belleville, perchée en haut d'un chêne, une cabane pleine de livres. C'est une

cabane magique !

Elle appartient à la fée Morgane, une magicienne et une célèbre bibliothécaire qui voyage à travers le temps et l'espace pour rassembler des livres.

Nos deux jeunes héros ont déjà vécu des **aventures extraordinaires** ! Il leur suffit d'ouvrir un livre, de poser le doigt sur une image en souhaitant se trouver à l'endroit représenté, et ils y sont aussitôt transportés !

Dans le dernier tome,
souviens-toi :

Pour guérir Merlin, Morgane a envoyé Tom et Léa au Japon du temps des samouraïs. Avec l'aide du poète Basho, ils ont sauvé la ville d'Edo d'un incendie, et trouvé le premier des quatre secrets du bonheur : « *la beauté cachée dans les plus humbles choses de la nature* »...

Nouvelle mission

Tom et Léa
partent en Italie

pour trouver un des
secrets du bonheur
et sauver Merlin !

Sauront-ils éviter tous les dangers ?

Lis vite
ce nouveau « Cabane Magique »
et aide nos deux héros à remplir
la mission que leur a confiée Morgane !

Prêt à suivre Tom et Léa
dans leurs dangereuses aventures ?

Bon
voyage !

Matin d'école

Tom, encore un peu endormi, verse du lait sur ses céréales. Il n'aime pas les lundis matin, et, en plus, aujourd'hui, les vacances de printemps sont finies !

Il entend sa mère appeler, depuis le bas de l'escalier :

– Léa ? Tu es prête ?

On dirait que sa sœur a du mal à sortir du lit, elle aussi !

– Alors Léa, tu descends ? Tu vas être en retard !

À cet instant, la porte d'entrée s'ouvre à la volée. La petite fille apparaît, échevelée, essoufflée.

– D'où viens-tu ? fait sa mère, étonnée. Tu n'étais pas dans ta chambre ?

– Non, je… J'avais besoin d'air frais.

Léa, les yeux brillants, fait signe à son frère :

– Dépêche-toi, Tom ! Je voudrais être en avance à l'école pour… euh… discuter avec les copains !

Le garçon comprend tout de suite. Il se lève aussitôt et attrape son sac à dos, posé dans l'entrée :

– On y va, maman !

– Et votre petit déjeuner ?

– Pas faim !… lancent les enfants d'une seule voix.

Et les voilà partis.

– Morgane va encore nous envoyer en mission ! dit Léa.

– Tu es sûre ? Tu es allée jusqu'au bois ?

– Non. Mais, en me réveillant, j'ai eu cette drôle d'impression, tu sais…

Oui, Tom a déjà ressenti ça, lui aussi, quand la cabane magique les attendait.

Ils arrivent, hors d'haleine, au pied du grand chêne. *Elle* est bien là !

– Teddy ? Kathleen ? appelle le garçon.

Deux visages apparaissent à la fenêtre, ceux d'un rouquin aux joues piquetées de taches de rousseur, et d'une fille aux longs

cheveux noirs, les yeux couleur d'océan.

– Bonjour ! lance joyeusement la Selkie.

– Montez vite ! s'écrie le jeune magicien.

Tom et Léa escaladent l'échelle de corde. Dans la cabane, les quatre amis s'embrassent.

– On doit partir à la recherche d'un deuxième secret du bonheur pour Merlin ? suppose Léa.

– Exactement ! confirme Teddy. Cette fois, vous allez découvrir la ville de Florence, en Italie, comme elle était il y a plus de cinq cents ans, à l'époque de la Renaissance !

– Et qui allons-nous rencontrer, là-bas ? demande Tom.

– Un personnage extraordinaire, déclare Kathleen, d'un ton mystérieux.

Teddy tire un gros livre de la poche de son manteau. La couverture représente le portrait d'un homme enveloppé dans une cape pourpre et coiffé d'un curieux chapeau bleu. Il a un long nez, des petits yeux brillants sous d'épais sourcils, et une belle barbe bouclée. Le titre de l'ouvrage est :

LÉONARD DE VINCI

– Léonard de Vinci ! s'exclame Tom. C'est lui qu'on va rencontrer ? C'était un génie !

Teddy acquiesce de la tête :

– C'est vrai ! Et ce livre qui raconte sa vie vous guidera dans votre mission.

– Morgane vous envoie également cette comptine, intervient Kathleen.

Elle tend à Léa un morceau de parchemin.

La petite fille lit à haute voix :

À Tom et Léa, du bois de Belleville :

À question facile,
Réponse parfois difficile !
Pour être sûrs de votre fait,
Le génie vous aiderez
De l'aube jusqu'au crépuscule
Quand sa chanson l'oiseau module.

– Donc, déduit Tom, si j'ai bien compris, pour trouver ce deuxième secret…

– Nous passerons une journée avec Léonard de Vinci, conclut Léa.

– Exactement, approuve Kathleen. Mais, n'oubliez pas qu'un objet très précieux peut vous être utile !

– La baguette de Dianthus[1] ! s'écrie Léa en se tournant vers son frère. Tu l'as emportée ?

1. Lire *Au secours de la licorne* (Cabane magique, n° 31).

– Bien sûr ! Je la garde toujours avec moi, au cas où…

Il fouille dans son sac à dos et en sort un bâton argenté, torsadé comme la corne d'une licorne.

– Vous vous rappelez les trois règles ? demande Kathleen.

Léa hoche la tête :

– On ne peut utiliser son pouvoir que pour faire le bien et pour aider quelqu'un.

– Et seulement quand on a essayé tous les autres moyens, ajoute Tom.

– Et en prononçant cinq mots, termine sa sœur.

– Parfait ! s'exclame la Selkie. Eh bien, au revoir, et bonne chance !

– Au revoir, Teddy ! Au revoir, Kathleen ! À bientôt ! dit Tom.

Quand les deux jeunes magiciens embrassent leur anneau bleu, celui-ci se met à briller.

Ils lèvent la main, murmurent tout bas des mots magiques et disparaissent.

Les enfants entendent alors, de l'autre côté du bois, la sonnerie de l'école. Dans dix minutes, les élèves entreront en classe.

Vite ! Tom pose l'index sur la couverture du livre et lance :

– Nous voulons rencontrer Léonard de Vinci !

Aussitôt, le vent se met à souffler, la cabane à tourner.

Elle tourne plus vite, de plus en plus vite.

Elle tourbillonne comme une toupie folle.

Puis tout s'arrête, tout se tait.

2

Où trouver Léonard ?

Une cloche sonne, au loin, mais ce n'est pas celle de l'école. Des rayons de soleil passent à travers les feuilles et éclairent l'intérieur de la cabane.

Tom porte une tunique qui lui arrive aux genoux et des collants sombres. Son sac à dos est devenu une besace de toile. Léa est vêtue d'une longue robe avec des manches bouffantes.

Tous deux vont se poster à la fenêtre. La cabane s'est posée au sommet d'un arbre, dans un grand jardin, sur une colline.

De là, on découvre une mer de toits de tuiles rouges. Un vaste dôme et une haute tour de pierre dominent la ville.

– Nous voici en Italie, dit Léa.

– Oui. Et cette ville, c'est sûrement Florence.

Tom ouvre le livre et lit à haute voix :

À la fin du XVe siècle, Florence abritait quantité d'artistes : peintres, sculpteurs, tapissiers, ainsi que des artisans : tisseurs de soie, potiers, tailleurs de marbre...

– Super ! commente Léa. J'aime bien les artistes.

Tom continue :

Le plus grand génie de ce siècle possédait de nombreux talents.
Léonard de Vinci ne fut pas seulement peintre.
Il était aussi inventeur, architecte, créateur de décors et de costumes pour le théâtre, et même géologue et botaniste.

– C'est quoi, un géologue et un bota-niste ? demande la petite fille.

– Des savants qui étudient les pierres ou les plantes.

Tom tourne la page et s'apprête à continuer sa lecture. Mais sa sœur l'interrompt :

– Viens, on y va ! Si la cabane nous a amenés là, Léonard ne doit pas être loin. Tâchons de le trouver !

Elle court vers la trappe et commence à descendre. Tom se dépêche de ranger le livre pour la suivre.

Les enfants dévalent la pente de la colline. Ils arrivent sur une route qui longe une rivière. Ils croisent des femmes vêtues de longues robes de soie, des hommes en pourpoints de drap ou de velours, des prêtres en soutane noire circulant à dos d'âne, des soldats à cheval.

Tom dévisage chaque passant. Au bout d'un moment, il marmonne :

– Je ne vois personne qui ressemble au portrait du livre !

– On n'a qu'à se renseigner, décide Léa.

Elle aborde une jeune fleuriste :

– S'il vous plaît, connaissez-vous un certain Léonard de Vinci ?

– Bien sûr ! s'écrie la demoiselle, les yeux brillants. Ici, tout le monde le connaît !

Il vient justement de m'acheter un gros bouquet de fleurs. Il a dit qu'il allait les dessiner.

– Par où est-il parti ? s'enquiert Tom.

– Il s'est dirigé vers le Ponte Vecchio[1].

La fleuriste désigne le bout de la rue.

Les enfants la remercient et courent dans la direction indiquée.

– Pendant qu'on discutait, il est parti plus loin, murmure Tom à sa sœur.

– Ne t'inquiète pas ! On va vite le rattraper.

Le Ponte Vecchio, soutenu par trois arches de pierre, est un pont couvert de boutiques.

1. Le Vieux Pont, en italien.

La rue qui le traverse est sombre et très animée. C'est difficile de reconnaître quelqu'un dans cette foule. Quand ils débouchent de l'autre côté, Tom et Léa clignent des yeux, éblouis par le soleil. Ils n'ont toujours pas trouvé Léonard.

– Demandons à quelqu'un, décide Léa. D'après la fleuriste, tout le monde le connaît.

Elle se dirige vers l'atelier d'un tisseur.

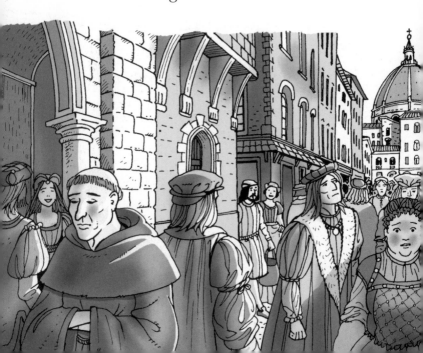

Les ouvriers étendent des pièces de soie fraîchement teinte sur des fils.

– S'il vous plaît, avez-vous vu Léonard de Vinci ? lance la petite fille.

Une vieille femme édentée lui sourit :

– Il vient de passer. Il allait à la boulangerie, comme chaque matin.

Tom et Léa s'engagent dans la ruelle que la grand-mère leur a désignée. L'air embaume la bonne odeur du pain qui sort du four.

– Léonard de Vinci est-il là ? s'enquiert Tom.

– Il est venu acheter sa miche quotidienne, répond le boulanger. Il a dû aller chez le fromager, juste en face.

– Merci !

Les enfants traversent la petite rue. Pas de chance ! Là aussi, on leur apprend que Léonard vient à peine de quitter la boutique. Il doit être chez le forgeron.

Tom et Léa reprennent leur course.

– J'ai tellement hâte de le rencontrer ! s'impatiente la petite fille.

– Moi aussi ! J'espère qu'on va vite le trouver !

Bientôt, ils entendent résonner des coups de marteau. Le forgeron est en train de ferrer un cheval. Au fond de la forge, un énorme feu flambe dans l'âtre.

– Léonard de Vinci est-il ici ? crie Tom.

L'artisan lui jette un regard noir :

– Il vient de partir. Toujours pressé, comme d'habitude ! Il m'a payé les récipients de fer qu'il m'avait commandés. Ce n'est pas trop tôt !

– Savez-vous où il est allé ? demande Léa.

– Au marché, grommelle l'homme en reprenant ses coups de marteau.

Au coin de la rue, les enfants débouchent sur une place. Le soleil ruisselle sur des centaines de tentes et d'éventaires. Ça sent le poisson et les épices.

– Il y a trop de monde, soupire Tom, découragé. On ne le retrouvera jamais.

Léa secoue la tête :

– Ça ne va pas du tout ! On doit passer la journée à l'aider, pas à le chercher ! Rappelle-toi la comptine :

Le génie vous aiderez
De l'aube jusqu'au crépuscule
Quand sa chanson l'oiseau module.

– Oui, marmonne Tom. Si on a bien compris ce que ça veut dire…

– Et si on utilisait la baguette ? propose soudain Léa. Les conditions sont remplies : ce n'est pas pour nous mais pour aider Merlin, et on a fait tout ce qu'on pouvait.

– D'accord !

Le garçon sort la corne de Dianthus du sac et la tend à sa sœur :

– Cinq mots !

– Je sais, je sais…

La petite fille lève le bâton argenté et ordonne, en comptant les mots sur ses doigts :

– Mène-nous-près-de-Léonard !

Rien ne se passe.

– Pourquoi ça ne marche pas ? s'énerve Tom.

– Je ne comprends pas. J'ai bien prononcé cinq mots, on l'a fait pour secourir quelqu'un. On n'a peut-être pas tout tenté ?

Tom soupire :

– Alors, essayons encore !

Il reprend la baguette et la glisse dans son sac. À cet instant, Léa s'écrie :

– Oh ! Regarde ces volières !

Elle entraîne son frère vers l'échoppe d'un oiselier. Des volatiles de mille couleurs sont enfermés dans des cages. Ils chantent, ils sifflent, ils pépient. Mais Léa n'entend que l'un d'eux, un tout brun avec la queue rousse, qui lance de jolis trilles. Elle s'approche :

– Bonjour, toi !

La petite bête la regarde en penchant la tête. Elle gazouille doucement.

– Viens, Léa, la presse Tom. Ne perdons pas de temps.

– Tu n'entends pas sa chanson ? Il veut s'envoler, il veut être libre !

Le garçon tire sa
sœur par la manche :

– Oublie ça, Léa !
On n'a pas d'argent,
on ne peut pas
l'acheter.

– Mais, Tom…
il me demande
de l'aider ! insiste
la petite fille.

Voyant que le marchand
est en grande conversation avec
un client, elle tend la main vers la porte
de la cage.

– Léa ! Ne fais pas ça !

Trop tard ! La porte est ouverte, l'oiseau
sautille sur la table.

– Oh, non !

Tom tente de le rattraper. Il n'est pas
assez rapide. D'un coup d'aile, le volatile
disparaît dans le ciel.

Léa bat joyeusement des mains :

– Bravo !

– Hé, toi ! hurle l'oiselier en se jetant sur elle. Tu m'as volé un oiseau !

– Je ne l'ai pas volé, je l'ai libéré !

L'homme agrippe les deux enfants par le bras.

Il vocifère :

– Volé ou libéré, c'est pareil ! Il faut me le payer !

– Mais… Mais…, balbutie Tom.

– Marco ! Laisse ces enfants tranquilles, tonne alors une voix masculine.

Tom se retourne. Il découvre un personnage de grande taille enveloppé dans une cape pourpre et coiffé d'un chapeau bleu. Il a un long nez, de gros sourcils, une belle barbe bouclée. Il ressemble trait pour trait à l'homme, sur la couverture du livre.

– Léonard ! souffle Léa. La baguette a bien fait ce qu'on lui a demandé, finalement !

3

Un ange passe

– Laisse ces enfants, Marco, répète Léonard.

– Ils m'ont volé un oiseau !

– Cette jeune fille dit qu'elle l'a libéré, nuance !

– De toute façon, bougonne l'oiselier, ce n'est pas gratuit…

Léa intervient d'une toute petite voix :

– C'est que… On n'a pas de quoi payer.

Léonard pose son panier. Il tire une pièce de sa bourse et la tend à l'oiselier :

– Voilà qui est réglé.

L'homme lâche Tom et Léa et empoche l'argent.

– Un jour, explique Léonard, alors que j'étais encore au berceau, une hirondelle a piqué sur moi et m'a effleuré de son aile. Depuis ce temps…

– Je sais, je sais, l'interrompt le marchand. Vous rêvez de vous envoler, vous me l'avez raconté cent fois !

Léonard se tourne vers les enfants :

– Oui, j'en rêve depuis toujours ! C'est pourquoi j'achète souvent ses petites bêtes à Marco pour leur rendre la liberté. Vous voyez, mes jeunes amis, vous et moi, nous avons les mêmes idées !

À ces mots, le visage de Léa s'illumine. Si le grand génie les prend en amitié, peut-être acceptera-t-il qu'ils passent la journée auprès de lui ?

– Merci ! Merci beaucoup ! Je m'appelle Léa, et voici mon frère, Tom. Je suis

tellement contente que vous aimiez tant
les oiseaux !

Léonard se met à rire :

– J'aime toutes les créatures ! Les animaux connus et ceux qu'on n'a pas encore
découverts !

– Comme moi ! se réjouit la petite fille.

Léonard ramasse une plume sur le sol et
la fait tourner dans le soleil, entre ses
doigts :

– Quelle beauté ! Je vais l'emporter pour
la dessiner.

Il reprend son panier et salue de la
main :

– Eh bien, au revoir, mes jeunes amis !
L'ouvrage m'attend. Je vous souhaite une
bonne journée.

« Oh non…, pense Tom. On ne peut pas
le laisser s'en aller comme ça… »

Mais, avant qu'il ait trouvé quoi dire,
Léa s'écrie :

– Monsieur de Vinci ! S'il vous plaît !

– Oui ?

La petite fille bafouille :

– Est-ce que vous… euh… Vous n'auriez pas besoin d'aide, aujourd'hui ? Tom et moi, on aimerait vous remercier… euh… en vous rendant service… autant que nous le pourrons.

Tom se balance d'un pied sur l'autre, embarrassé. Léonard va sûrement refuser.

À sa grande surprise, cet homme si célèbre les regarde en se grattant la barbe. Finalement, il dit :

– Ma foi… Je pourrais peut-être vous embaucher comme apprentis, juste pour la journée.

– Magnifique ! s'exclame Léa.

– Seulement, il faudra travailler dur !

– Oh, lui assure Tom, ça ne nous fait pas peur !

– Alors, suivez-moi ! décide Léonard.

L'homme au chapeau bleu quitte le quartier encombré du marché et s'engage dans une rue pavée, suivi des enfants.

– Vous habitez à Florence ? leur demande-t-il.

– Non, nous… hmmm… nous venons de loin, commence le garçon.

– Nous sommes ici en mission, explique Léa. Nous recherchons l'un des secrets du bonheur.

Léonard hoche la tête en souriant :

– Moi, je l'ai découvert récemment.

– Ah ? lâchent les enfants d'une seule voix.

– Oui. Je l'ai longtemps cherché, et j'ai fini par le trouver : le secret du bonheur, c'est la célébrité !

– La célébrité ? répète Léa, perplexe.

– Absolument ! Quand je lis dans les yeux des gens le respect et l'admiration, je me sens vraiment heureux.

Tandis que Léonard marche devant eux à grands pas, les enfants échangent un coup d'œil.

– La célébrité ? fait Léa. Tu crois que c'est la réponse ?

Tom lui répond à voix basse :

– Je n'en suis pas sûr… Rappelle-toi la comptine : *À question facile, réponse parfois difficile !*

– Tu as raison. Et elle précise aussi qu'on doit passer la journée avec Léonard…

Le garçon approuve de la tête. C'est la partie de la mission qui lui plaît le plus : côtoyer jusqu'au soir le plus grand génie de tous les temps !

Ils arrivent bientôt sur une place où s'élève une magnifique cathédrale. Elle est surplombée par l'énorme dôme qu'ils ont remarqué à leur arrivée, depuis la fenêtre de la cabane.

« Comment les gens de cette époque faisaient-ils pour construire des bâtiments pareils ? » se demande Tom.

La place est très animée. Des centaines de gens y circulent dans tous les sens. Soudain, Léonard s'arrête.

– Oh, oh ! fait-il. Je viens de voir un ange !

– Où ça ?

Le garçon regarde de tous côtés. Nulle part il n'aperçoit d'ange.

– Ici ! indique Léonard.

Il désigne une jeune fille du doigt. Elle est petite, avec des cheveux noirs.

Tom a beau la dévisager, il ne lui trouve rien d'extraordinaire.

Mais Léonard a tiré un gros carnet de son panier, ainsi qu'un morceau de fusain. Il se met à dessiner.

– Je cherchais un modèle pour une de mes peintures, marmonne-t-il. Et le voici !

Il montre son esquisse à Tom et à Léa, ébahis. En quelques coups de crayon, il a créé un merveilleux visage. Il ressemble trait pour trait à celui de la jeune fille. Pourtant, c'est vrai, il a à présent quelque chose de divin !

– C'est le plus bel ange que j'aie jamais vu, déclare Léa.

– Hmmm…, murmure Léonard, je ne sais pas. Je crains que le nez… Non, ce n'est pas tout à fait ça…

Il détache la page et la tend aux enfants :

– Vous voulez garder ce dessin ?

– Oh, oui ! Merci ! s'écrie la petite fille.

– Je vais le ranger, dit Tom.

Il ouvre son sac et glisse le précieux papier entre les pages du livre. Léonard range son matériel et se remet en route à grands pas. Les enfants s'élancent derrière lui, s'efforçant de ne pas le perdre dans la foule. Le peintre explique :

– Je trouve souvent l'inspiration en arpentant les rues et en observant les promeneurs. Leur nez, leur bouche, leur crâne… Tous sont différents !

Tom examine les passants. En effet ! Il voit des petits nez, des longs, des gros, des retroussés…

– Je compare les expressions des gens, leurs gestes, continue Léonard. J'étudie leurs mains, leurs yeux, leurs cheveux. Mais un véritable artiste combine ses observations avec son imagination.

Soudain il s'arrête et s'écrie :

– Regardez là-haut !

Les enfants lèvent la tête.

– Vous voyez ces nuages ? À quoi vous font-ils penser ?

« À de grosses masses blanches… », songe Tom.

– Le plus grand, là, fait Léa, ressemble à un château fort. Et le petit à côté, on dirait un chien avec de longues oreilles !

– Excellent ! approuve Léonard.

Désignant un autre nuage, au-dessus d'un toit, il demande :

– Et toi, Tom ? Qu'imagines-tu ?

Le garçon plisse les yeux :

– Euh… hmmm… Une espèce de bateau…

– Merveilleux ! C'est ainsi que je trouve des idées pour mes tableaux. Une fissure sur un mur m'évoque un visage de vieille femme ; une tache de sauce sur une nappe me rappelle un cheval. J'observe une flaque d'eau au milieu des graviers, et j'y vois des îles au milieu de l'océan.

– Moi aussi, j'aime faire ce genre de choses, déclare Léa.

Tom hoche la tête. Cette façon de raisonner lui plaît.

– Et maintenant, continue le peintre, écoutez les cloches de la cathédrale !

Bing ! Dong ! Bing ! Dong ! Un carillon joyeux sonne dans les airs.

– À chaque fois, il me semble que la voix des cloches s'adresse à moi. Entendez-vous ce qu'elles disent ?

Tom fronce les sourcils. « Hmmm…, non. Elles font *bing, dong,* c'est tout… »

– Elles me disent : « Ne traîne pas, Léonard ! Tu as beaucoup à faire, aujourd'hui ! » Elles ont raison ! Alors, en route, mes jeunes amis !

4

Scène de bataille

– Où allons-nous ? demande Léa.

– Au Palazzo Vecchio[1] ! On m'a com-
mandé une fresque pour décorer la salle
du Conseil. J'y travaille depuis des mois.

– C'est quoi, une fresque ? interroge
Tom.

– C'est une grande peinture, exécutée
directement sur un mur. On le recouvre
d'abord avec du mortier, et il faut passer
les couleurs très rapidement, avant que
l'enduit soit sec.

– Ça doit être amusant ! dit Léa.

1. Le Vieux Palais, en italien.

– Ce n'est pas le mot… L'art exige beaucoup de réflexion. J'aime prendre mon temps, et faire des recherches techniques. Pour cette fresque, par exemple, j'ai concocté une peinture à l'huile qui sèche très lentement.

– Et ça marche ? intervient Tom.

– Trop bien ! Maintenant, tout reste humide, le mortier et la peinture ! Mais, aujourd'hui, les choses vont s'arranger. J'ai trouvé le moyen d'accélérer le séchage.

En discutant, ils sont arrivés sur une autre place,

où s'élève un impo-
sant bâtiment. Le
palais ressemble à
une forteresse, avec
sa haute tour.

– C'est ici que le gouvernement de la ville tient conseil, explique Léonard. Suivez-moi !

Il pousse une lourde porte et entraîne les enfants dans une cour ornée d'une fontaine. Ils montent un escalier, longent un corridor et franchissent une autre porte.

Ils entrent dans une vaste salle.

Léonard pose son panier par terre. Il lève les bras et s'écrie :

– Ma fresque !

– Ooooooh ! s'exclament Tom et Léa.

De hautes fenêtres en arc de cercle éclairent les murs blancs. Perchés sur un échafaudage en bois, des jeunes gens peignent une gigantesque scène de bataille. On y voit un groupe de cavaliers, l'épée levée, sur des chevaux qui se cabrent sauvagement. Les hommes ont des visages féroces, des bouches tordues comme s'ils se criaient des injures.

– La ville m'a demandé d'interpréter une grande victoire de notre armée, quelque chose de glorieux. Mais, moi, je pense que la guerre n'est qu'une folie bestiale. Je voudrais que ma peinture exprime cela.

– Oh, c'est très réussi ! s'enthousiasme Léa.

Tom est d'accord. C'est la chose la plus violente qu'il ait jamais vue.

– Francesco ! appelle Léonard.

L'un des apprentis dévale une échelle et saute sur le sol. C'est un garçon robuste, à la figure rougeaude.

– Est-ce que ça va mieux, ce matin ? demande Léonard.

– Hélas, non, maître. Ça ne sèche toujours pas.

– Alors, on va faire ce que j'ai prévu. Les braseros sont-ils arrivés ?

Francesco désigne deux gros pots de fer, posés près d'une pile de bûches et de fagots.

– Les voilà, dit-il, ainsi qu'une provision de bois.

– Bien. Nous allons monter ces braseros sur l'échafaudage. La chaleur fera sécher le plâtre et la peinture.

– On peut vous aider ? propose Léa.

– Apportez du petit bois ! dit Léonard.

Les enfants prennent un fagot. Ils cassent des branches, emplissent les braseros. Francesco ajoute des rondins. Ensuite, les récipients sont montés sur l'échafaudage grâce à un système de poulies.

– Doucement ! Doucement ! recommande Léonard, tandis que les braseros se balancent dans les airs.

Les ouvriers les placent devant la fresque.

– Allumez ! ordonne le peintre.

Avec la flamme d'une chandelle, Francesco allume les branchettes. Bientôt, le feu se met à ronfler.

– Ajoutez du combustible ! crie Léonard.

Tom et Léa courent chercher d'autres bûches. Les apprentis les hissent sur la plate-forme. Les flammes s'élèvent, chauffant la fresque.

Dans l'odeur et les crépitements du feu, avec la fumée noire qui tourbillonne, Tom a l'impression d'être au milieu de la bataille. Il croit entendre les tintements des épées, les hennissements des chevaux, les cris des hommes. Il ressent cette « folie bestiale » de la guerre dont leur parlait Léonard.

Soudain, il entend de vrais cris.

– La peinture coule, maître ! gémit l'un des apprentis.

– C'est terrible, tout est en train de fondre ! se lamente un autre.

Tom ouvre des yeux horrifiés : les casques des guerriers dégoulinent tout le long de leurs visages, les pattes des chevaux s'amollissent comme de la guimauve.

– AAAAAH ! hurle Léonard. Éteignez le feu ! Éteignez tout !

5

La maison du peintre

La scène qui suit ressemble au tumulte d'une bataille. Tout le monde court dans tous les sens.

– Apportez de l'eau ! ordonne le peintre. De l'eau ! Vite !

Il se précipite hors de la pièce, suivi de ses apprentis.

– Aidons-les ! s'écrie Tom.

Les enfants dévalent l'escalier et surgissent dans la cour. Les jeunes gens emplissent des seaux à la fontaine.

– Plus vite ! hurle Léonard.

Tom et Léa s'emparent d'un récipient et s'élancent derrière les autres.

– On… se croirait… à Edo ! souffle le garçon, qui se souvient de leurs dernières aventures au Japon[1].

– Oui. Sauf que…, là-bas…, une ville brûlait ! Ici, ce n'est qu'une peinture qui fond.

« Exact », pense Tom.

Pourtant, Léonard s'agite comme si sa vie en dépendait. Le peintre et ses apprentis ont monté les seaux en haut de l'échafaudage. Ils versent l'eau dans les braseros, qui s'éteignent en sifflant.

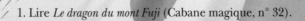

1. Lire *Le dragon du mont Fuji* (Cabane magique, n° 32).

Trop tard ! Les visages des
soldats, les corps des chevaux, tout
est devenu un mélange informe de
taches et de traits.

Léonard reste un long moment immobile devant son œuvre détruite. Puis il redescend et se dirige vers la porte.

– Maître ! Attendez ! lui crie Francesco.

Le peintre sort de la salle sans répondre.

– Suivons-le ! décide Léa.

– Il paraît déprimé, constate Tom.

– Nous devons faire ce que dit la comptine : *Le génie vous aiderez, de l'aube jusqu'au crépuscule* !

– Oui, soupire le garçon. Mais s'il refuse notre aide ?

À cet instant, la petite fille voit le panier que Léonard a laissé au milieu de la pièce. Elle s'en empare :

– On va lui rapporter ses provisions !

Tom reprend son sac, et tous deux quittent la salle du Conseil.

Lorsqu'ils atteignent la sortie du palais, ils aperçoivent Léonard qui traverse la place à grandes enjambées.

– Léonard ! appelle Léa.

Le peintre ne se retourne pas. Il s'engage dans une ruelle.

– Vite ! souffle Tom.

Les enfants s'élancent en courant. Quand ils arrivent au début de la ruelle, Léonard est déjà à l'autre extrémité.

– Léonard ! S'il vous plaît, attendez-nous ! crie encore Léa.

Mais il tourne au coin et disparaît. Parvenus à l'angle, Tom et Léa regardent à droite, à gauche. Des enfants jouent. Deux femmes bavardent, penchées à leur fenêtre. Aucune trace du peintre.

Léa s'adresse aux femmes :

– Excusez-moi ! Auriez-vous vu passer Léonard de Vinci ?

– Oui, dit la première. Il vient juste de rentrer chez lui.

– Sa maison est là, indique la deuxième en montrant une bâtisse étroite, au bout de la rue.

– Merci !

Ils passent sous une arche de pierre, qui débouche sur une allée. L'allée les conduit jusqu'à une cour pavée, où des poules picorent. Un jeune homme – sans doute un valet – est en train d'atteler un cheval blanc à une charrette.

Tom désigne une porte ouverte :

– Il est là.

Ils s'approchent. Léonard marche de long en large, les cheveux en bataille. Il a laissé tomber sa cape et son chapeau sur le carrelage. Il marmonne :

– Je vais quitter Florence. Oui, voilà ce que je vais faire. Je vais me rendre à Rome. Ou retourner à Milan…

Tom chuchote à sa sœur :

– Moi, si j'étais dans cet état, je n'aimerais pas qu'on me dérange.

– On ne vient pas le déranger, objecte Léa. On vient lui rendre service ! Entrons ! Donnons-lui au moins ses affaires !

Avant que Tom ait pu protester, Léa se poste sur le seuil de la pièce en lançant :

– Toc, toc !

Léonard fait volte-face, le visage rouge, l'air furieux :

– Qu'est-ce que vous fabriquez ici ?

– On vous rapporte vos provisions, dit la petite fille. Vous les avez oubliées.

Le regard du peintre s'adoucit un peu :

– Oh, merci ! Laissez ça près de la porte,
voulez-vous !

Léa dépose le panier. Puis elle reste là.

– Viens, lui souffle Tom. On ferait
mieux de s'en aller.

Sans écouter son frère,
elle s'avance et déclare :

– On aimerait bien
vous aider.

Léonard fronce les
sourcils :

– Personne ne
peut rien pour moi.
Ton frère a raison,
petite. Partez !

Léa ne bouge pas.

– Pardon, insiste-t-elle. Mais nous sommes à votre service toute la journée. Vous nous avez engagés, vous vous rappelez ?

– Vous ne voyez donc pas à quel point je suis malheureux ? s'emporte le peintre. Fichez le camp !

– Pourquoi êtes-vous si malheureux ? Vous nous avez dit que la célébrité était le secret du bonheur. Et vous êtes toujours célèbre !

– À quoi bon, quand on connaît un tel échec ? rugit le peintre. Cette fresque devait être mon chef-d'œuvre ! À quoi me servira ma célébrité si tout le monde rit de moi ? Partez !

– Bon, d'accord, acquiesce Léa d'une toute petite voix. On voulait juste vous réconforter un peu…

Déçus par la réaction du maître, les enfants commencent à s'en aller.

Quelques secondes après, Léonard se met à grogner :

– Attendez !

Tous deux se retournent. Le peintre passe une main lasse sur son visage. Puis il soupire :

– Pardonnez-moi ! Revenez !

Alors, Tom et Léa font demi-tour et, soulagés, ils pénètrent en souriant dans la demeure de Léonard de Vinci.

Des idées par milliers

Tom regarde autour de lui. Un feu brûle dans l'âtre. Un rayon de soleil oblique traverse le plancher. La pièce est pleine de miroirs, de coffres, de pots de peinture, de pinceaux. Les murs sont recouverts de dessins, d'instruments de musique, de masques de théâtre et de cartes. Des vieux livres s'entassent un peu partout.

– J'aime trop cet endroit ! murmure le garçon.

– Et moi donc ! enchérit Léa.

Léonard va ramasser son panier et désigne la table encombrée de papiers :

– Asseyez-vous ! Vous allez manger quelque chose maintenant.

D'un grand geste du bras, il fait un peu de place. Puis il approche deux chaises. Il sort du panier la miche de pain et le fromage :

– Servez-vous !

Le fromage est sec, mais bon. Quant au pain, il est délicieux. La croûte est craquante et la mie moelleuse à souhait !

« J'aimerais bien connaître la recette de ce boulanger », songe Tom.

Léa, la bouche pleine, interroge leur hôte :

– Pourquoi voulez-vous quitter Florence, Léonard ?

– Après un tel échec, plus personne ne va me respecter, ici. Le Conseil m'a demandé d'achever la fresque au plus vite.

Et je ne la finirai pas, c'est impossible.
Récemment, Michel-Ange m'a accusé de
ne jamais rien terminer…

– Michel-Ange ? intervient Tom. Vous
parlez du grand artiste ?

Léonard ricane, méprisant :

– Lui, un grand artiste ? Vous avez vu ses
statues ? Ces types avec de gros muscles ?
On dirait des sacs de noix !

Les enfants éclatent de rire, et Léonard esquisse un sourire.

– Vous avez raison, reprend-il. Michel-Ange est un grand artiste. Mais il ne devrait pas parler de moi comme ça, même si c'est vrai…

– Pourquoi ne finissez-vous jamais rien ? s'étonne Léa.

Léonard hausse les épaules :

– Je ne peux pas m'empêcher de tenter des expériences. Et, la plupart du temps, ça ne mène nulle part.

– Alors, c'est ça votre problème !

– L'un de mes problèmes, soupire le peintre. L'autre, c'est que je voudrais faire tant de choses, et je n'en ai jamais le temps.

Voilà qui excite la curiosité de Tom :

– Quoi, par exemple ?

– Oh, j'ai des idées par milliers !

Léonard se dirige vers un coffre. Il soulève le couvercle et reste un instant en contemplation. Puis il se tourne vers Tom et Léa, l'œil brillant :

– Venez voir !

Ils se précipitent.

Le coffre est rempli de carnets et de cahiers de toutes tailles.

– Ce sont mes carnets d'observations et de croquis, explique Léonard. J'y consigne mes idées.

Émerveillé, Tom contemple ce trésor avec de grands yeux ébahis.

– Mon frère aime prendre des notes, lui aussi, précise Léa.

– Est-ce que… on peut regarder ? demande timidement le garçon.

– Bien sûr !

Les enfants sortent quelques carnets, ils tournent les pages. Elles sont couvertes d'esquisses et de phrases gribouillées. On y voit des visages, des têtes d'animaux, des fleurs, des arbres, des montagnes, la lune et les étoiles. L'un d'eux ne contient que des dessins de chevaux. Un autre, des études de ponts, de bâtiments. Un autre encore, des oiseaux et des machines. Les commentaires semblent rédigés dans une langue étrangère.

– Alors, vous n'arrivez pas à lire, hein ? fait Léonard.

– Non.

– Placez le cahier devant un miroir !

Lorsque la page se reflète dans la glace, Tom comprend :

– Oh ! C'est écrit à l'envers, de droite à gauche !

– Pourquoi faites-vous ça ? s'étonne Léa.

Léonard rit :

– Les gens pensent que c'est pour tenir mes idées secrètes. Mais en réalité, je suis gaucher. Et en écrivant de gauche à droite, j'étale l'encre sur la page. Dans l'autre sens, je fais moins de taches.

Il revient s'asseoir devant la table et mord dans un morceau de pain. Il a retrouvé sa bonne humeur. Il explique :

– Dans ces carnets, je gribouille ce qui me vient à l'esprit. Par exemple…

Il en ouvre un et lit :

– *On a trouvé dans la montagne les fossiles de minuscules créatures marines. J'en déduis que, il y a des millions d'années, la mer recouvrait les montagnes.*

– C'est vrai, affirme Tom.

Léonard le regarde d'un air étonné :

– Tu parais bien sûr de toi !

– Je l'ai lu dans un livre de science, explique le garçon. À l'origine, les océans couvraient presque toute la terre. C'est pourquoi on trouve des fossiles marins dans les montagnes.

– Nous lisons beaucoup, enchérit Léa.

Léonard lève les sourcils d'un air intéressé :

– Vraiment ? Alors, écoutez ceci !

Il ouvre un autre carnet et lit :

– *Une araignée fait éclore ses œufs en les fixant du regard.*

– Euh…, fait la petite fille. Ça, c'est faux. L'araignée commence par envelopper ses œufs dans un cocon de soie. Et les petits sortent tout seuls, le moment venu.

Tom acquiesce en souriant. C'est drôle de penser qu'ils en savent plus que ce grand génie ! Tant de choses ont été découvertes, depuis l'époque où il vivait !

– Eh bien, je vous crois, dit Léonard.

Il poursuit sa lecture :

– *Si la Lune brille la nuit, c'est peut-être qu'elle est recouverte d'eau.*

Le garçon secoue la tête :

– Non, si elle brille, c'est parce qu'elle reflète la lumière du Soleil.

Les enfants connaissent beaucoup de choses sur la Lune ! Ils sont même allés sur une base lunaire, quand ils ont été projetés dans le futur, en 2031[1] !

– De plus, il n'y a pas d'air, sur la Lune. Pas de vent non plus. Si on marche à sa surface, nos empreintes y restent pour toujours.

Léonard éclate de rire :

– Vous êtes très inventifs ! Ça me plaît.

Il continue de feuilleter son carnet :

– Écoutez ça : *Employer la force du vent ou celle de la vapeur permettrait d'exécuter certains travaux plus vite et plus facilement.*

1. Lire *Le voyage sur la Lune* (Cabane magique, n° 7).

– Vous avez tout à fait raison ! approuve Tom. Un jour, des bateaux et des trains fonctionneront à la vapeur.

– Des… trains ?

– Oui, improvise Léa, c'est… euh… un truc qu'on a imaginé.

– Des sortes de chariots attachés les uns derrière les autres, explique Tom. Et qui rouleraient sur des rails.

Alors, le grand maître ferme à demi les paupières, essayant de se représenter cet étrange véhicule.

– Intéressant…, murmure-t-il.

– On a aussi imaginé des avions, ajoute la petite fille.

– Un engin avec des ailes, qui volerait dans les airs, comme les oiseaux !

Léonard bondit de son siège :

– Vous croyez qu'il est possible de créer une machine volante ?

– Absolument !

Le grand homme se met à marcher de long en large :

– Notre rencontre, c'est un signe !

– Un signe de quoi ? s'étonne Léa.

Léonard la fixe, les yeux brillants :

– Moi aussi, je crois les humains capables de voler comme les oiseaux. Et je vais le prouver ! Aujourd'hui même ! Jusqu'alors, j'avais peur de tenter l'expérience. Mais vous m'en donnez le courage.

« De quoi parle-t-il ? » se demande Tom, interloqué.

– Je vais réussir ! s'enthousiasme Léonard. Et je serai célèbre à jamais !

– En vérité, reprend le garçon, on ne sait pas grand-chose sur la façon de voler…

– Oui, insiste Léa. On a seulement essayé d'*imaginer*…

Mais leur hôte a déjà remis sa cape et son chapeau :

– Venez, mes jeunes amis ! s'exclame-t-il

en se dirigeant vers la porte. J'ai fait atteler ma voiture, mais, finalement, je ne vais pas quitter Florence…

Quand les enfants sortent dans la cour, Léonard est déjà dans la carriole.

Il leur lance :

– Montez vite ! Aujourd'hui, un grand oiseau va s'élever dans le ciel ! Ma machine volante va émerveiller l'univers !

7

Le grand oiseau

Léonard secoue les rênes. Le cheval blanc s'ébranle. Bientôt, ses sabots claquent sur le pavé des rues.

– Où allons-nous ? questionne Léa.

– Sur l'une des collines qui surplombent la ville. Un jour, vous raconterez partout qu'en ce lundi historique, vous avez vu Léonard de Vinci décoller dans sa machine volante !

Tom est un peu inquiet :

– Qu'avez-vous l'intention de faire, exactement ?

– Voilà vingt-cinq ans que je dessine des oiseaux et des chauves-souris, explique Léonard. J'ai étudié leurs mouvements, leur façon de battre des ailes, de planer, de se poser. Depuis vingt-cinq ans, je m'interroge : « Pourquoi un homme ne pourrait-il pas voler ? » Et j'ai construit ma machine.

– Quelle machine ?

– Ah, ah ! s'esclaffe Léonard. Un peu de patience. Vous allez voir !

Ils sont sortis de la ville. Le cheval trotte sur une route de campagne. Puis il s'engage sur un sentier rocailleux. La charrette tressaute sur les cailloux. De chaque côté défilent des oliviers aux feuilles vert pâle et des prés emplis de fleurs jaunes. Bientôt, ils arrivent au pied d'une colline. Léonard tire sur les rênes, et l'attelage s'arrête.

– Vous la voyez, ma machine ?

Il désigne une étrange structure, au sommet de la butte :

– Les ailes ressemblent à celles d'une chauve-souris, en beaucoup plus grand. Il y a quelque temps, avec mes apprentis, on l'a apportée ici. Mais j'avais peur de l'essayer. Je n'avais pas confiance. Grâce à vous, je vais oser !

Tom ne sait plus quoi penser. Il se souvient que les premiers aéroplanes n'ont été lancés qu'au début des années 1900 :

– Hmmm… Vous ne devriez pas prendre le temps de la mettre au point… ?

– Non, non ! Aujourd'hui, c'est le grand jour, je le sens !

Léonard saute de la carriole et grimpe la pente à grands pas. Il crie aux enfants :

– Restez là, et regardez bien !

Léa pousse son frère du coude :

– Vite ! Cherche « machine volante » dans le livre !

Tom sort le volume de son sac, consulte la table des matières, trouve la page et lit :

Léonard de Vinci a consacré des années à ses projets de machines volantes.

Il avait calculé qu'un homme pourrait décoller en agitant des ailes artificielles avec ses bras.

Mais ses engins n'ont jamais fonctionné, car cela exigeait une trop grande force musculaire.

– Oh, non ! s'inquiète Léa. Si Léonard se jette du haut de la colline, il va se crasher ! Il faut l'en empêcher !

Elle saute de la carriole et s'élance sur la pente. Tom range le livre et suit sa sœur.

– Léonard ! crie la petite fille. Ne faites surtout pas ça !

– Les hommes ne voleront que dans plusieurs siècles ! ajoute Tom.

Léonard ne se retourne même pas. Les enfants ont à peine gravi la moitié de la butte ; lui, il est déjà au sommet.

105

Il s'harnache avec des lanières de cuir.
De grandes ailes de tissu, actionnées par
de larges poignées, sont tendues sur un
cadre de bois.

L'inventeur court déjà vers la pente.

La machine, sur son dos, est tellement
lourde qu'il titube.

— Arrêtez ! s'égosille Léa. Sans moteur,
vous n'y arriverez pas !

Mais Léonard actionne les poignées
des ailes, qui se déploient :

— Attention ! Mon grand oiseau
va décoller !

Il plie les jambes
pour prendre son
élan, et saute.

– Noooooooon ! hurlent Tom et Léa.

Un gros coup de vent soulève l'engin.
Les ailes battent. Mais… pas assez vite !
Léonard a beau pousser et tirer de toutes
ses forces sur les poignées, il commence à
chuter. L'instant d'après, l'homme et la
machine s'écrasent au sol.

Léa se précipite :

– Ça va ?

Pas de réponse. « Oh, non…, pense Tom. S'il s'est tué, ce sera de notre faute ! »

Mais Léonard leur fait signe de la main. Il roule sur le côté, dégrafe le harnais et se dégage des débris.

Il s'assied dans l'herbe, le visage rouge et égratigné.

– Ça va ? répète Léa.

Léonard la regarde, la mine sombre :

– Non, ça ne va pas.

– Vous avez quelque chose de cassé ?

L'inventeur se relève. Il contemple la structure tordue, les ailes déchirées :

– Oui, mon cœur… J'ai le cœur brisé !

Ils redescendent tous les trois de la colline en silence.

Quand ils arrivent près de la carriole, le cheval blanc hennit doucement, comme pour consoler son maître. Léonard pose doucement sa joue contre l'encolure de la bête.

Léa s'approche :

– Pourquoi avez-vous le cœur brisé ?

Léonard lève les yeux vers le ciel :

– Toute ma vie, j'ai conçu des projets, et je ne suis arrivé à rien. Mes tours et mes ponts n'ont jamais été construits. Mes idées scientifiques n'ont jamais été prouvées.

– Mais…, tente d'intervenir Léa.

Léonard enchaîne :

– J'ai passé plusieurs années à dessiner un énorme cheval, un projet de sculpture pour le duc de Milan. Elle n'a jamais été réalisée. Je n'ai terminé que quelques tableaux. Je n'ai pas encore achevé mon préféré, le portrait d'une dame de Florence. Aujourd'hui, j'ai détruit ma fresque pour la salle du Conseil. Malgré tout, une dernière chose me réconfortait.

– Laquelle ? demande Tom.

– J'étais sûr d'être un jour le premier homme à voler !

La voix de Léonard se met à trembler :

– En parlant avec vous, j'ai cru que le moment de tester ma machine était venu.

– Désolé…, murmure Tom.

– Oh, je l'aurais essayée tôt ou tard. Mais voilà encore un rêve qui ne se réalisera pas. Jamais je ne volerai.

Il fixe ses pieds, l'air abattu :

– Je vais rentrer chez moi, brûler mes dessins, mes tableaux inachevés, mes notes sur des inventions qui ne verront jamais le jour.

– Non ! s'écrie Tom. Ne faites pas ça !

– Attendez ! intervient Léa. Vous allez voler, Léonard ! Et vous allez adorer !

– Léa ! proteste son frère.

La machine ne fonctionnera jamais. Elle n'a pas le droit de donner un faux espoir au malheureux inventeur !

Tom secoue sa sœur par la manche :

– Arrête, Léa ! Tu sais bien que c'est impossible !

Mais elle se dégage, grimpe dans la carriole et fouille dans le sac de Tom. Puis elle se retourne, l'air triomphant. Dans sa main, elle tient la baguette de Dianthus.

8

Des ailes !

Léa lève la baguette :

– Fermez les yeux, Léonard !

Celui-ci la regarde, interloqué.

– Ce matin, reprend la petite fille, vous avez dit qu'un véritable artiste combinait ses observations avec son imagination.

Léonard hoche la tête.

– Eh bien, voilà ce qu'on peut faire avec de l'imagination !

Léa pointe la baguette sur chacun d'eux et, tout en comptant sur ses doigts, elle lance d'une voix claire :

– Que-nous-ayons-des-ailes !

Léonard pousse une exclamation de stupeur : de longues plumes grises jaillissent de ses bras ! Ceux de Tom se transforment aussi, et ceux de Léa !

– Que se passe-t-il ? s'étrangle le peintre.

Tom remue un peu ses ailes : elles sont parfaites, légères et pourtant puissantes.

– À présent, déclare Léa en souriant, nous pouvons voler !

– Des ailes !...

Léonard est abasourdi. Puis il éclate de rire et s'exclame :

– Des ailes ! Nous avons des ailes ! Courons dans les airs !

Tous trois s'élancent. Le vent s'engouffre dans leurs plumes et les soulève du sol. Ils se laissent porter par un courant ascendant[1]. En un instant, les voilà haut dans le ciel. Ils planent. Puis ils décrivent de grands cercles au-dessus de la campagne.

– Formidable, hein ? lance Léa.

Tom ne s'est jamais senti aussi heureux.

– Oui, approuve-t-il. C'est notre plus beau vol !

Car ils ont déjà circulé ainsi : ils ont volé sur le dos d'un dragon, sur celui d'un lion et sur celui d'un cerf blanc, sur un tapis, sur une bicyclette[2].

1. Ascendant : qui monte.
2. Lire Cabane magique, nos 32, 28, 24, 29, 30.

Une nuit, ils ont même été transformés en corbeaux[1]. Mais c'est la première fois qu'ils volent… de leurs propres ailes !

– Suivez-moi ! les invite Léonard.

S'inclinant sur le côté, il vire et entraîne les enfants à très haute altitude. Ils glissent entre les nuages, qui leur mouillent le visage. Tom a l'impression de nager dans le ciel.

1. Lire *Les mystères du château hanté* (Cabane magique, n° 25).

Avec des cris de joie, ils plongent vers les prés jaunes et les oliviers verts.

– Hou, hou ! lance Léonard à des paysans qui labourent leurs champs.

Les hommes ne lèvent même pas la tête.

– Bonjour ! Bonjour ! crient Tom et Léa.

Les vignerons occupés à tailler leurs ceps ne répondent pas non plus. Aucun humain ne semble remarquer les trois étranges volatiles.

Des pigeons s'approchent, comme pour les accueillir dans leur domaine. En leur compagnie, Tom, Léa et Léonard frôlent les toits de la ville, remontent vers la cathédrale, décrivent un cercle autour de sa coupole.

– Que Florence semble propre et ordonnée, vue d'ici, s'exclame Léonard. Je regrette de ne pas avoir mon carnet de croquis.

C'est vrai. D'en haut, tout paraît bien rangé : le marché avec ses tentes et ses étals, les ruelles étroites où le linge sèche sur des fils, le pont couvert, la rivière étincelante.

Les trois créatures ailées retournent vers la campagne, en direction de la colline au bas de laquelle gisent les débris de la machine. Ils se laissent descendre doucement ; leurs pieds touchent l'herbe. Ils sautillent, referment leurs ailes d'oiseaux. Au même instant, leurs plumes disparaissent et ils retrouvent leurs bras d'humains.

Léonard contemple le ciel avec une expression ahurie. Soudain, il titube et tombe lourdement, face contre terre.

« Oh non ! pense Tom. C'était trop d'émotion pour lui ! Il doit avoir une crise cardiaque ! »

Léa s'agenouille :

– Léonard ?

Le grand homme roule sur le dos et regarde les enfants. Il balbutie :

– Que… Qu'est-il arrivé ? J'ai volé ? J'ai vraiment volé ? Je n'ai pas rêvé ?

– Euh…, fait Tom. C'est que…

Comment révéler le pouvoir de la baguette ? Il faudrait tout raconter depuis le début, parler de la cabane magique, de la fée Morgane...

– Il y a des mois de cela, commence Léa, nous nous promenions dans notre bois, quand nous avons découvert...

– Léa ! l'interrompt Tom en secouant la tête.

La petite fille fronce les sourcils :

– Ben quoi ? On peut quand même tout expliquer à Léonard !

Mais celui-ci lève la main :

– Non, non, je préfère ne rien savoir ! Certaines choses doivent demeurer des mystères. Mieux vaut en garder le souvenir au fond de notre cœur.

« Curieuse réaction, de la part d'un homme qui veut toujours tout comprendre ! » songe Tom.

Léonard se relève et ajoute :

– Malgré tout, si je devais donner une explication, je dirais ceci : depuis des années, j'observe le vol des oiseaux, j'essaie d'en saisir le fonctionnement. J'ai exécuté plusieurs centaines de dessins, qui m'ont aidé à construire ma machine volante. Or, une chose importante me manquait, une chose essentielle…

– Laquelle ? souffle Léa.

– L'esprit de l'oiseau ! Un oiseau n'est pas une machine. Avec vous, j'ai deviné un peu de cet esprit. Ce n'était peut-être qu'un effet de mon imagination. Pourtant, pendant un moment, une part de moi est devenue oiseau.

– L'esprit de l'oiseau a-t-il réussi à guérir votre cœur brisé ? demande doucement la petite fille.

Léonard sourit :

– Oui, mon cœur est guéri. Je peux abandonner ce rêve insensé et m'intéresser à de nouveaux projets. Et qu'importe la célébrité ! Au fait, quelle heure est-il ?

Il observe attentivement la position du soleil et s'écrie :

– Oh ! Il faut vite que je retourne en ville ! Je suis en retard !

– En retard pour quoi ? s'enquiert Léa.

– J'ai donné rendez-vous à mon modèle dans mon atelier.

Tous trois remontent dans la carriole.
Léonard s'empare des rênes :

– Hue !

Le cheval blanc secoue sa crinière et se remet à trotter pour regagner Florence.

Un curieux sourire

Pendant un moment, dans la carriole, personne ne parle. On dirait que chacun veut garder intacte la magie de ces derniers instants. Même s'il est secoué par les cahots, Tom se souvient de ce qu'il a éprouvé en glissant à travers les airs. Il sent encore la caresse du vent dans les plumes de ses ailes.

Le véhicule franchit la porte de la ville. Tandis qu'il brinquebale sur les pavés, Léa rompt le silence :

– Léonard, à votre avis, quel est le secret

du bonheur, si ce n'est pas la célébrité ? Apprendre à voler ?

– Non, non ! Voler, c'est juste un rêve irréalisable, sauf en imagination.

– Alors, insiste Tom, c'est quoi ?

Léonard se tait un long moment. Puis il soupire :

– Il faut que j'y réfléchisse.

Tom regarde le ciel avec inquiétude. Le soleil descend, ce sera bientôt le crépuscule. D'après la comptine, un oiseau va chanter. Alors, il leur faudra rentrer.

– Hmm…, fait-il. Vous devrez y réfléchir longtemps ?

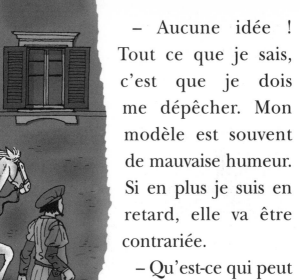

– Aucune idée ! Tout ce que je sais, c'est que je dois me dépêcher. Mon modèle est souvent de mauvaise humeur. Si en plus je suis en retard, elle va être contrariée.

– Qu'est-ce qui peut la mettre de si mauvaise humeur ? demande Léa.

Léonard hausse les épaules :

– Je l'ignore. Peut-être en a-t-elle assez de poser pour moi. Voilà trois ans que je travaille à ce portrait.

– Trois ans ! C'est beaucoup ! Surtout si elle doit rester sans bouger !

– C'est vrai. D'ailleurs, elle ne sourit jamais. Elle me fixe d'un air triste. J'ai engagé des musiciens pour la distraire, mais rien n'y fait.

Tom est de plus en plus inquiet : Léonard n'aura jamais le temps de réfléchir au secret du bonheur !

– Vous devriez peut-être annuler votre rendez-vous ? suggère le garçon.

– Non. Je peins dehors, et la lumière est parfaite, à cette heure.

Quand le cheval entre dans la cour, les enfants découvrent une jeune femme, devant la maison.

– Bonjour, Lisa ! lance Léonard.

– Bonjour.

Lisa porte une longue robe vert sombre et une écharpe de soie sur l'épaule. Un voile transparent couvre ses cheveux bruns. Elle a le front haut, de grands yeux noisette. Tom a l'impression de l'avoir déjà rencontrée. Mais où ? Il n'arrive pas à s'en souvenir.

– Pardonne-moi, Lisa, je suis en retard, s'excuse Léonard en sautant de la carriole. Je vais chercher mon matériel.

Il rentre aussitôt dans son atelier. Les enfants descendent à leur tour et Léa se présente :

– Bonjour ! Je m'appelle Léa, et voici mon frère, Tom.

La jeune femme leur sourit :

– Bonjour.

– C'est curieux, reprend la petite fille, il me semble vous connaître.

– Vous êtes de Florence ? demande Lisa.

– Non, nous habitons Belleville. C'est loin d'ici.

Lisa sourit de nouveau :

– Belleville ? Joli nom, pour une ville.

« Donc, Lisa sait sourire, se dit Tom. Pourquoi fait-elle la tête à Léonard ? »

Le peintre arrive alors, portant une plaque de bois, un chevalet, des pinceaux, une palette et des flacons de peinture à l'huile. Puis il va chercher un siège pour Lisa. La jeune femme s'assied avec élégance en croisant les mains, le coude appuyé sur le bras du fauteuil.

Les enfants observent le tableau, posé sur le chevalet. Le visage de Lisa est déjà reproduit. Il ne manque plus que sa bouche. En arrière-plan, on aperçoit un paysage brumeux, avec des montagnes, un chemin, un pont enjambant une rivière. Tom s'étonne :

– Vous ne peignez pas sur une toile ?

– Non, répond Léonard. Pour ce portrait, j'ai choisi une très belle planche de peuplier, bien lisse.

Il se met au travail.

– Que faites-vous ? le questionne Léa.

– J'ajoute une sorte de brume, ainsi, on ne saura pas où commence l'ombre et où finit la lumière.

– Comment ça ?

– En superposant très délicatement plusieurs couches de couleur.

La petite fille s'émerveille :

– C'est génial ! vous inventez sans cesse de nouvelles techniques !

Léonard hoche la tête :

– Oui, je n'arrête pas de me poser des questions : comment reproduire ceci, comment évoquer cela ?

Soudain, le peintre regarde les enfants, le pinceau en l'air, l'œil brillant :

– Et savez-vous quoi, mes jeunes amis ? J'ai découvert le secret !

– Quel secret ?

– Le secret du bonheur ! C'est bien ce que vous cherchiez, non ?

– Oh !... Oui, bien sûr ! s'exclame Tom.

Léonard poursuit :

– Que l'on soit riche ou pauvre, jeune ou vieux, le bonheur est là, à notre portée à tous, chaque jour et à chaque heure de notre vie.

Les enfants l'écoutent, stupéfaits. Quel est donc ce secret ?

Le grand artiste se tait un instant. Puis il déclare :

– Ce secret s'appelle *la curiosité* !

– La curiosité ? répète Tom, un peu étonné.

Lui, de la curiosité, il en a à revendre ! Léonard explique :

– Pour progresser, il ne faut jamais cesser de s'interroger : Pourquoi ? Où ? Quand ? Comment ? Que signifie ceci ? À quoi sert cela ? Alors, l'avenir s'annonce passionnant, car on est sûr que chaque jour, chaque saison, chaque année nous apportera de nouvelles connaissances.

– C'est vrai ! approuve Tom.

– La curiosité me console de mes échecs, de mes déceptions et de mes chagrins, car c'est aussi en se trompant qu'on apprend. Et il y a tant à découvrir ! C'est cela, le secret du bonheur ! Par exemple, j'aimerais comprendre comment fonctionnent nos muscles, comment un bébé grandit dans le ventre de sa mère…

– Moi, intervient Léa, je me demande

pourquoi les nuages changent de forme, pourquoi le ciel est bleu…

– Et moi, continue Tom, comment on fait cuire le pain pour qu'il soit croustillant à l'extérieur et moelleux à l'intérieur !

– Et combien il existe de formes de nez différentes…

– Oui ! Et de bouches, de sourcils, de…

Léa les interrompt en lançant d'une voix aiguë :

– Et pourquoi Lisa ne sourit jamais à Léonard !

Tom et le peintre dévisagent la petite fille avec des yeux ronds. Puis ils se tournent tous deux vers le modèle, assise sur son fauteuil, immobile. D'abord, elle reste bouche bée. Puis elle balbutie :

– Comment ? Qu'avez-vous dit ?

Cette fois, Léa s'adresse à Lisa :

– Pourquoi refusez-vous de sourire à Léonard ? Est-ce que vous lui en voulez de vous faire poser comme ça depuis si longtemps ?

La jeune femme rougit. Elle fait non de la tête, et on a l'impression qu'elle retient ses larmes.

La petite fille insiste doucement :

– Il y a une autre raison ?

Lisa hésite un instant puis se tourne vers Léonard, qui la contemple fixement. Elle murmure :

– Oui, il y en a une.

– Laquelle ?

Tout en répondant à la question de Léa, elle continue de regarder le peintre :

– Je préfère ne pas sourire, sinon Léonard reproduira mon sourire sur sa toile. Alors le portrait sera terminé et il le vendra à ma famille. Il ne pensera plus jamais à moi…

Pendant quelques secondes, plus personne ne parle. Puis, sans quitter son modèle des yeux, le peintre déclare :

– Léa, dis à Lisa que, si elle sourit, je finirai son portrait, c'est vrai. Mais jamais je ne le vendrai, je le promets. Je l'emporterai toujours avec moi, partout où j'irai, tout le reste de ma vie. Et, elle, je ne l'oublierai jamais.

– Lisa, dit Léa, Léonard promet que…

La jeune femme l'interrompt :

– J'ai entendu.

Et elle sourit.

Ce n'est qu'un très léger sourire, mais il est si beau, si mystérieux ! Le visage de Lisa semble illuminé par la lumière dorée du soir.

– Ah ! s'écrie Léonard, en plongeant son pinceau dans la peinture. Gardez ce sourire, s'il vous plaît, Mona Lisa !

Mona Lisa ? Tom a déjà entendu ce nom quelque part…

À cet instant, un oiseau se met à chanter. Le garçon lève la tête. Un joli petit oiseau brun est perché sur le rebord du toit, au-dessus de la cour.

– Léa ! souffle Tom. On dirait celui que tu as libéré de sa cage.

– C'est lui ! murmure la petite fille.

Sans cesse de peindre,
Léonard murmure :

– C'est un rossignol,
un merveilleux
chanteur.

– Oh !
fait Léa.

Elle se tourne vers son frère :

– C'est l'heure de partir. Rappelle-toi la comptine :

Le génie vous aiderez
de l'aube jusqu'au crépuscule
quand sa chanson l'oiseau module.

Tom pousse un long soupir :

– Tu as raison. Au revoir, Léonard !

– Au revoir, Lisa ! ajoute Léa.

Le peintre se tourne vers les enfants :

– Au revoir, mes jeunes amis ! Revenez quand vous voudrez ! Vous m'avez bien aidé, aujourd'hui.

– Vous aussi, vous nous avez bien aidés, déclare la petite fille.

Léonard s'est déjà replongé dans son travail. Il fixe sur la toile le mystérieux sourire de Mona Lisa, tandis que le rossignol lance ses trilles dans l'air du soir.

Encore des questions

Lorsque les enfants sortent de l'atelier, le crépuscule assombrit la rue.

– Il faut qu'on repasse par le Ponte Vecchio, se rappelle Tom. Le jardin où la cabane s'est posée est de l'autre côté du fleuve.

– Oui. Retrouvons d'abord la place du marché !

Le marché est désert, à cette heure. Les étals sont vides. Tom et Léa reconnaissent les ruelles qu'ils ont prises le matin, la forge, la boulangerie, l'atelier de tissage.

Bientôt, ils s'engagent sur le pont, entre les maisons et les boutiques.

Arrivés de l'autre côté, ils longent la rive, escaladent la pente du grand jardin qui couvre la colline. La cabane magique est là, en haut d'un arbre, toute dorée dans les dernières lueurs du jour.

Ils grimpent à l'échelle de corde.

– Avant de repartir, dit Tom, je voudrais vérifier quelque chose…

Il sort le livre de son sac et cherche *Mona Lisa* dans la table des matières.

– Regarde ! s'exclame-t-il. C'est elle ! C'est Lisa !

C'est vrai ! C'est bien le portrait que peignait Léonard de Vinci, la jeune femme au sourire énigmatique !

Tom lit à haute voix :

Ce tableau est le plus célèbre au monde. On suppose qu'il s'agit de Mona Lisa del Gioconda, d'où son nom : la Joconde. Léonard de Vinci n'a jamais vendu ce portrait. Il l'a emporté partout avec lui jusqu'à Amboise, où François Ier l'avait invité. Le roi l'a acheté après la mort du peintre, et l'œuvre est restée en France. On peut désormais la voir au musée du Louvre, à Paris.

– Léonard a tenu sa promesse, constate le garçon.

– J'étais sûre qu'il la tiendrait !

La petite fille déplie le papier où est écrite la comptine de Morgane. Elle pose le doigt sur les mots « Bois de Belleville » :

– Nous voulons revenir ici !

Le vent se met à souffler, la cabane à tourner. Elle tourne plus vite, de plus en plus vite.

Puis tout s'arrête, tout se tait.

Les premiers rayons du soleil passent par la fenêtre. Dans le bois, le temps n'a pas passé. La cloche de l'école sonne au loin. Dans dix minutes, les élèves vont rentrer en classe. Tom et Léa ont retrouvé leurs vêtements de tous les jours. La besace de Tom est redevenue un sac à dos.

– Allons-y ! On va être en retard, s'inquiète Léa.

– Attends un peu ! Juste un petit instant…

Tom ouvre son sac pour en sortir le livre.

Une feuille en tombe.

– Oh ! C'est le croquis que Léonard nous a donné !

Tous deux se penchent sur le visage d'ange.

– Quel extraordinaire dessinateur ! fait la petite fille, admirative.

– Oui. Chaque fois que je regarderai ce dessin, je me rappellerai le secret du bonheur selon Léonard de Vinci.

– Moi aussi. Il faut être curieux de tout : les bêtes, les nuages, les gens !

– Les ombres, la lumière ! Observer pour comprendre !

– Il y a tant de choses à découvrir et à apprendre ! La curiosité console de tous les échecs !

Tom roule soigneusement le dessin et le remet dans son sac. Puis les enfants descendent par l'échelle de corde.

Ils remontent le sentier en courant. Tom se souvient :

– La maîtresse a dit qu'après les vacances, on étudierait le système solaire ! Ça va être super !

– Nous, enchérit Léa, on fera des photos d'animaux ! J'adore les animaux !

Ils rient, tous les deux.

Eux qui n'avaient pas très envie de retourner en classe, les voilà pressés d'arriver à l'école. Pas de doute, la curiosité, c'est un des secrets du bonheur !

Fin

Si tu as envie de nous donner
tes impressions sur la série
ou de nous parler de **tes propres voyages**
réels ou imaginaires,
n'hésite pas à nous écrire !

Bayard Éditions
Série Cabane Magique
18, rue Barbès
92128 Montrouge Cedex

N'oublie pas d'écrire
ton nom et ton adresse sur la lettre !